LES CHATS DE WILLY RONIS

Préface de Colette Fellous

Flammarion

LA VIE AU VOL

Colette Fellous

Parfois j'aimerais inventer des cérémonies bizarres où je convoquerais une petite bande de chats à la campagne, avec un orchestre de nuit qui s'installerait sous les tilleuls et un cabanon de bois rouge qui leur servirait de palais. Ils entreraient dans le jardin comme sur une scène et je n'aurais même pas à faire les présentations, ils se reconnaîtraient, même s'ils ne se sont rencontrés que dans les yeux de leurs lecteurs. Ils se regarderaient d'abord lentement, et chacun se mettrait peu à peu à raconter. Les voyages, les paysages, les fugues, les espoirs, les plaisirs, les rêveries, les romans, les saisons, les amours, les peurs. On parlerait de la vie, de nids de mésanges, de mulots, d'herbe fraîche, de noyaux d'olives si capiteux qu'ils vous donnent le tournis, de cotonnades d'été ou de somptueux feux de cheminée. On reconnaîtrait là Nitchevo, le chat de Tennessee Williams, Neige, la chatte de Mallarmé, tous les chats de Colette, en ribambelle, qui déclareraient ne jamais pouvoir se séparer, Bébert, le chat de Céline, qui se plaindrait, lui, d'avoir été obligé de quitter Montmartre et sa rue Girardon pour venir jusque-là. Il y aurait bien sûr Souris, la chatte angora de Léautaud, dans sa fourrure gris-bleu, et le beau Pluton, le chat d'Edgar Poe, qui resterait légèrement à l'écart. Il y aurait aussi Dinah, Perce-Neige et Killy, les jolies bêtes de Lewis Caroll qui ont de toute façon pris l'habitude de flâner malicieusement, de l'autre côté du miroir. En fait, les chats ne meurent jamais, qu'on les conjugue au présent, au passé ou au conditionnel, tous les invités de cette fête s'accorderaient là-dessus. Il suffit d'ailleurs d'avoir partagé la vie d'un seul pour pouvoir les reconnaître tous, préciserait Nitchevo.

Oui, les chats restent là, tout près de nous, ils bougent lentement et veillent sur nous, même quand ils ont l'air de regarder ailleurs, loin, très loin. C'est leur façon de rester pudiques. Ils accompagnent tous nos gestes, ils sont nos doubles. Ils magnétisent notre mémoire et nos sens. On croirait qu'ils nous chuchotent de ne jamais oublier que la beauté est partout et qu'il faut simplement prendre le temps d'entrer en conversation avec elle. Ils savent transformer en poème le moindre décor, ils sont parfois eux-mêmes un bout de ce poème. « Le plus petit des félins est une œuvre d'art », disait Léonard de Vinci.

Mais les chats de Willy Ronis? Sophie, Joseph, Raoul, Joséphine, Arthur? Les connaissiez-vous? Les aviez-vous déjà vus tous réunis comme ici? Moi, c'est la première fois. Et je suis tellement éblouie que j'ai envie de faire partager ma joie, de faire circuler la bonne nouvelle. Les chats de Willy sont magnifiques, venez les rencontrer, faites-les entrer à votre tour dans votre vie. On ne comprend même pas comment il a réussi à les saisir au vol, à traquer leur vérité intime, à les faire exister dans leur plus haute simplicité. Il faut être un immense artiste pour laisser ainsi parler les chats, sans les trahir, sans exagérer, sans faire joli. Avoir été juste là, toujours à la bonne place, avec le geste prompt, c'est sans doute son secret et son art. Si vous aviez demandé par exemple à Willy Ronis comment il a réussi à photographier son chat, à cette miette de seconde où il a grimpé au rideau pour essayer de mieux voir ce qui se passait dehors, il vous aurait répondu d'un air tout à fait naturel que pendant toute sa vie, son appareil n'était jamais bien loin de lui. Il a vu le chat agrippé au rideau, il a pris aussitôt la photo. Une photo, c'est rapide, ça ne doit pas attendre : quand elle est là, il faut la faire. Et le chat au-dessus de l'aquarium, comme au balcon, perché sur ses deux pattes arrière, qui fixe avec gourmandise le poisson rouge, comment avez-vous fait pour saisir ce moment si furtif ? Même réponse. Et le geste si voluptueux de la patte du chat noir, quand il dort dans le lit de Vincent, exactement dans la même position que lui, est-ce là une mise en scène ? Mais non, voyons, Willy Ronis n'était pas un photographe qui mettait en scène ses sujets, il attrapait la vie au vol, c'est le hasard qui le guidait avant tout. Et la chance, sa belle complice. D'ailleurs, son premier chat n'aura été qu'une affaire de hasard, disait-il ; c'était en 1946, quand Vincent a eu six ans : un ami le lui avait offert pour son anniversaire. Depuis ce jour, les chats ont avec bonheur scandé tant d'années de sa vie. Oui, regardez-les faire, ces petits corps espiègles et philosophes, regardez-les se faufiler dans les instants les plus fragiles, regardez-les faire palpiter et faire exister la matière même de la durée. Sur chaque photo, passe le grain de la vie, le souffle de l'air, l'odeur même des saisons, c'est incroyable. La sieste dans la maison de Gordes, quand il fait matin dans la chambre et que les vêtements de la veille sont éparpillés autour du lit. Marie-Anne est encore endormie, le chat l'accompagne dans les draps, on se souvient alors immédiatement de l'ambiance du *Nu provençal*, avec ce mystère allié à la simplicité. Presque un tableau orientaliste. La voûte de la chambre, le grain des tomettes, l'apparition timide de la lumière. Et derrière cette scène, on reconnaît l'amour du regard de Willy sur tout ce qui l'entoure, sur les êtres les plus proches comme sur les passants, sur la nature comme sur un coin de mur, un objet, une ruelle. Là, c'est l'après-midi et c'est l'automne. Marie-Anne et Vincent déjeunent sur la terrasse du jardin, près des roseaux. Le vent passe et c'est encore le chat qui dirige notre regard. À chaque fois, c'est lui qui a l'air de souligner le battement du réel et le silence de tous ces moments de bonheur. Il offre alors au réel un regard intérieur, et quand il vient s'installer au bord de la fenêtre, sur une marche de l'escalier, près d'un poêle à charbon ou devant la porte, sur cette ligne d'ombre, la *linea d'ombra*, c'est justement pour indiquer la frontière entre le dedans et le dehors, entre le silence et les mots, entre la chambre et le jardin.

On croirait alors que tous les chats de Willy Ronis incarnent son propre regard. Tout comme Willy, ils deviennent des peintres des lieux, du quotidien. Regardez ce chemin devant la maison de Gordes, quand la nature est saturée de soleil, que tout est désert et que d'un coup surgit un chat, comme pour créer non seulement un relief au paysage mais une véritable intrigue. Qui est ce chat ? D'où vient-il ? Est-ce

le hasard qui l'a posé là, devant les yeux de Willy, pour que sa photo soit la plus belle ? Est-ce un ange gardien, un messager ? Tout devient intemporel, presque mythique.

Les chats aiment les seuils, les fenêtres, les pierres plates, les tables de bois, l'ombre des feuilles, les marches fraîches d'un escalier : quand je m'ennuie, je change de marche, disent-ils. Ils dessinent l'espace et deviennent ainsi les architectes du quotidien. Ils soulignent la délicatesse de chaque geste, de chaque moment. Ils nous donnent à voir. L'art du chat ressemblerait en cela à l'art du photographe. La patience, l'attention, la curiosité, la malice, la rapidité : une mouche passe par là, hop, elle est déjà croquée et le chat reprend le fil de sa vie. Dans un demi-sommeil, il veille, il guette, il attend. Regardez par exemple la démarche de ce chat qui traverse une ruelle d'Eze-village, il a l'air d'un passant, d'un voyageur. Tendez alors l'oreille. Vous verrez apparaître le bruit des couverts dans la cuisine, une chanson à la radio, des voix tamisées à l'intérieur de la chambre : c'est ce chat qui, en traversant le silence de la ruelle, a sculpté pour nous cette rumeur des vivants. S'il n'y avait pas eu de chat sur cette photo, aurait-on éprouvé la même sensation ? Le chat a sans doute pris la place d'un cœur sensible, il nous fait entrer avec lui sur le terrain, il nous montre la profondeur du champ.

Les chats de Willy passent leur temps à nous fixer, nous questionner, nous parler ou carrément nous tourner le dos, quand ils ont quelque chose de plus intéressant à suivre. Comme ils ont l'air de savoir traverser le temps sans effort, avec une attention, une maîtrise et une grâce silencieuses. Ils se posent n'importe où, mais c'est toujours la place juste qu'ils ont choisie. Celle qui permet de nous regarder vivre, rêver, travailler, manger, peindre, aimer, dormir. Mais n'est-ce pas là tout l'art de Willy Ronis photographe qu'ils incarnent ? Ils ont d'ailleurs l'air de tout savoir de lui, lui qu'on ne voyait jamais, mais qui guettait sans cesse, qui magnétisait par son regard chaque être, chaque paysage, chaque décor du quotidien. À Belleville, à Ménilmontant, sur les bords de la Marne, en Provence, à Venise. Cette traversée d'un pan de la vie de Willy Ronis à travers le regard de ses chats est à la fois un pur moment de tendresse et une déclaration d'amour faite à la vie. Mais c'est aussi, et vous allez le découvrir, un magnifique hommage à Marie-Anne et à Vincent, sa femme et son fils, qui restent du coup, même s'ils ont eux aussi disparu, tellement vivants et tellement proches de nous.

Colette Bellon

LES CHATS
DE WILLY RONIS

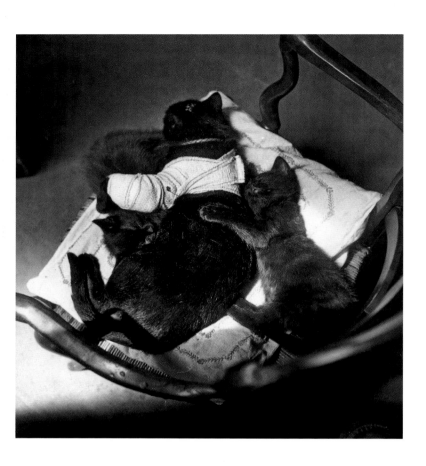

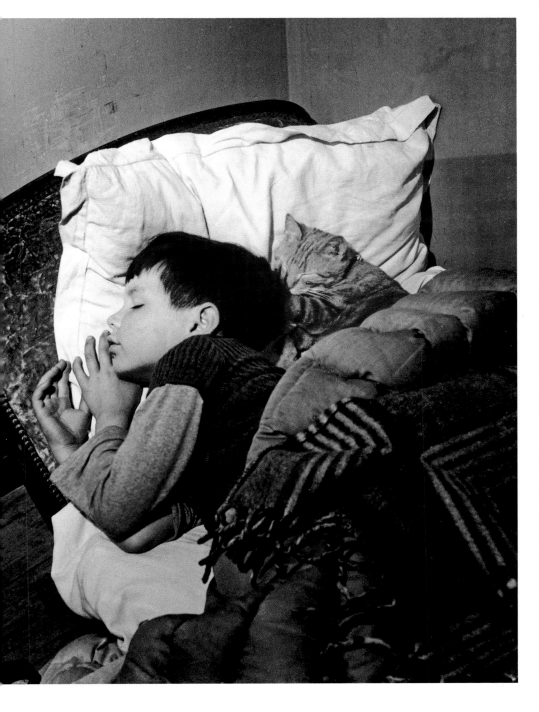

WILLY RONIS
BIOGRAPHIE

« Je n'ai jamais poursuivi l'insolite, le jamais-vu, l'extraordinaire, mais bien ce qu'il y a de plus typique dans notre existence quotidienne, dans quelque lieu que je me trouve... Quête sincère et passionnée des modestes beautés de la vie ordinaire. »

Willy Ronis est né à Paris en 1910. Il étudie le dessin, le violon, l'harmonie et s'initie au droit. C'est en 1926 qu'il reçoit son premier appareil et commence à photographier Paris. En 1932, sacrifiant sa vocation de musicien, il entre à l'atelier photographique de son père et, à la mort de ce dernier, devient reporter-illustrateur indépendant. Il publie dans la revue *Regards* ses premiers sujets de société. En 1937, il achète son premier Rolleiflex, rencontre Robert Capa et David Seymour. Sa première exposition, « Neige dans les Vosges » à la gare de l'Est à Paris, est suivie de « Paris la nuit ». Il photographie la grève Citroën en 1938.

Pendant la guerre, il quitte Paris pour le sud de la France, où il pratique toutes sortes de métiers dont celui de peintre sur bijoux avec Marie-Anne Lansiaux (qu'il épouse en 1946). De retour à Paris en 1944, il travaille pour la presse illustrée et entre à l'agence Rapho en 1946. Lauréat du Prix Kodak et Médaille d'or à la Biennale de Venise en 1947, il s'intéresse alors à Belleville et à Ménilmontant. Arthaud publie en 1954 un livre de 96 photos de ce quartier, réédité quatre fois, dont la dernière aux Éditions Hoëbeke en 1999, avec un texte de Didier Daeninckx. Son biographe, Bertrand Eveno, le commente ainsi : « Ce livre culte sur un quartier méconnu et très peu photographié à l'époque exprime un populisme proche de son ami Doisneau... et restitue la force graphique de paysages urbains uniques à Paris. »

En 1965, il participe à l'exposition « Six photographes et Paris » au musée des Arts décoratifs, avec Robert Doisneau, Frasnay, Lattès, Pic et Janine Niépce. Il enseigne à l'IDHEC, Estienne et Vaugirard, voyage dans les pays de l'Est, à Berlin, à Prague, à Moscou et expose « Images de la RDA » en 1967-1968.

En 1972, il part s'installer à Gordes puis à l'Isle-sur-la-Sorgue (Vaucluse) et enseigne aux Beaux-Arts d'Avignon, à Aix-en-Provence et à Marseille. En 1975, il est nommé, après Brassaï, Président d'honneur de l'Association Nationale des Photographes Reporters-Illustrateurs. Il obtient le Grand Prix des Arts et des Lettres pour la Photographie en 1979. En 1980, il est l'invité d'honneur des XIe Rencontres Internationales de la Photographie d'Arles. Il gagne le Prix Nadar pour son album *Sur le fil du hasard* aux Éditions Contrejour et expose à la Galerie du Château d'Eau à Toulouse. Patrick Barbéris réalise en 1982 un long métrage intitulé *Un voyage de Rose* avec Willy Ronis et Guy le Querrec.

En 1983, il fait une donation de son œuvre à l'État, avec effet post-mortem. *Mon Paris* paraît chez Denoël, avec 170 photos, en 1985, année de sa rétrospective au Palais de Tokyo et de sa nomination au titre de Commandeur dans l'ordre des Arts et des Lettres. Entre 1986 et 1989, il expose à New York, Moscou et Bologne ; Patrice Noïa lui consacre un portrait documentaire de 26 minutes, *Willy Ronis ou les cadeaux du hasard*, et il est nommé Chevalier de la Légion d'Honneur. À partir de 1990, douze expositions sont présentées en France et à l'étranger.

Dès lors, il publie un grand nombre de livres : un Photo Poche au Centre National de la Photographie, *Quand je serai grand...* chez Hors Collection, *Autoportraits* chez Fata Morgana, *Les Sorties du dimanche* chez Nathan, et *Toutes Belles* chez Hoëbeke avec un texte de Régine Desforges. Il publie également *Les Enfants de Germinal* en collaboration avec Jean-Philippe Charbonnier et Robert Doisneau, *À nous la vie !* avec un texte de Didier Daeninckx, *Vivement Noël* et enfin *La Provence* avec un texte de Edmonde Charles-Roux.

Il devient membre de la célèbre Royal Photographic Society de Londres en 1993, et en 1994, il expose « Mes années 80 » à l'Hôtel de Sully à Paris, suivies en 1995 de « 70 ans de déclics (1926-1995) » au Museum of Modern Art d'Oxford, puis au Pavillon des Arts à Paris en 1996.

En 2001, il dédie ses photos à l'album *Pour la Liberté de la Presse* de Reporters sans Frontières, avec une préface de Bertrand Poirot-Delpech. Il publie chez Hoëbeke *Derrière l'objectif, photos et propos*, dont il signe le texte. Il est nommé Commandeur de l'Ordre National du Mérite.

En 2002, une rétrospective de 150 photos est présentée à la Bibliothèque municipale de Lyon et Phaidon lui consacre un ouvrage dans la collection « 55 ».

En 2005 pour son 95e anniversaire, la ville de Paris lui rend hommage, à travers photographies, films et archives personnelles, dans une grande exposition à l'Hôtel de ville de Paris.

En 2006, la Fondation La Caixa lui consacre une exposition rétrospective avec 130 photos, présentée à Madrid, Murcia et Lleida (Espagne), sur une période de quinze mois.

Willy Ronis meurt à Paris le 12 septembre 2009.

COLETTE FELLOUS est écrivain et éditrice au Mercure de France, où elle a créé la collection « Traits et portraits » en 2005. Elle est née à Tunis en 1950 et vit à Paris depuis l'âge de dix-sept ans. De 1972 à 1976, elle a suivi le séminaire de Roland Barthes à l'École Pratique des Hautes Études. La plupart de ses romans, dont *Avenue de France, Aujourd'hui, Plein été, Un amour de frère, La Préparation de la vie,* sont publiés chez Gallimard. Elle a été, depuis 1980, productrice à France-Culture, notamment des « Nuits Magnétiques » qu'elle a dirigées de 1990 à 1999 et du « Carnet nomade », de 1999 à 2015.

Toutes les photographies présentes dans ce livre ont été prises par Willy Ronis à Gordes ou à Paris entre 1948 et 1959.

Le présent ouvrage est une nouvelle édition des *Chats de Willy Ronis*, conçu par l'auteur en 2007.

Crédits photographiques : ©Succession Willy Ronis/Diffusion agence Rapho.

Conception graphique : Grégory Bricout
Responsable éditoriale : Gaëlle Lassée, assistée de Fanny Morgensztern
Fabrication : Titouan Roland
Photogravure : Bussière

© Flammarion, S.A., Paris, 2016
ISBN : 978-2-0813-7858-2
N° d'édition : L.01EBAN000453.C002
Dépôt légal : avril 2016

Flammarion S.A.
87, quai Panhard et Levassor
75647 Paris Cedex 13
editions.flammarion.com

Achevé d'imprimer par Toppan, Chine, en décembre 2016.